D1632041

Argyfwng!

Gan Esther Ripley
Addasiad Catrin Wyn Lewis

www.rily.co.uk

Golygydd y testun gwreiddiol Beth Davies
Dylunydd Stefan Georgiou
Cynhyrchydd Cyn-gynhyrchu Siu Yin Chan
Cynhyrchydd Louise Daly
Rheolwr Golygu Paula Regan
Rheolwr Golygydd Celf Guy Harvey
Cyfarwyddwr Celf Lisa Lanzarini
Cyhoeddwr Julie Ferris
Cyfarwyddwr Cyhoeddi Simon Beecroft

Cynlluniwyd ar gyfer DK gan Rich T Media

Ymgynghorydd Darllen
Maureen Fernandes

Cyhoeddwyd gan Rily Publications Ltd, Blwch Post 257, Caerffili CF83 9FL
Hawlfraint yr addasiad 2017 Rily Publications Ltd

Addasiad Cymraeg gan Catrin Wyn Lewis

ISBN 978-1-84967-026-5

Cyhoeddwyd yn wreiddiol yn Saesneg yn 2016 dan y teitl LEGO City: *Heroes to the Rescue*
gan Dorling Kindersley Ltd, Cwmni Penguin Random House.

Mae'r cyhoeddwyr yn cydnabod cefnogaeth ariannol Cyngor Llyfrau Cymru.

Mae cofnod catalog CIP o'r llyfr hwn ar gael o'r Llyfrgell Brydeinig.

Argraffwyd a rhwymwyd yn China.

www.LEGO.com

Cynnwys

Croeso i'r ddinas 4

Gorsaf dân 6

Yn yr orsaf dân 8

Tân! 10

Diffodd y tân 12

Cerbydau tân 14

Damwain! 16

Ffonio'r ambiwlans 18

Awyren achub 20

Heddlu 22

Ble mae'r rhain? 24

Carchar 26

Diogelwch 28

Dianc 30

Cuddio 32

Chwilio 34

Dyma nhw! 36

Wedi'u dal! 38

Newyddion Dinas LEGO® 40

Cwis 42

Geirfa 44

Iaith i ddysgwyr / Language for learners 46

Canllaw i rieni / Guide for parents 47

Croeso i'r ddinas

Mae dinas LEGO® yn brysur iawn.
Mae'r stryd yn llawn ceir, lorïau,
beiciau a phobl.
Ond beth sy'n digwydd?

Dyma'r injan dân fawr.
Wyt ti'n gweld y diffoddwr
tân ar ben yr ysgol?
Mae car heddlu glas yn
helpu i stopio'r traffig.

Gorsaf dân

Dyma'r swyddog tân. Mae e'n
siarad â rhywun ar y ffôn.
Mae tân arall yn rhywle
yn y ddinas!
Dyma'r swyddog tân
yn pwyso'r larwm.
Barod, bawb?

Mae'r criw wedi casglu'r offer.
Mae drws yr orsaf dân yn agor.
Bant â ni, bawb!

YN YR ORSAF DÂN

Beth sydd yn yr orsaf dân?
Mae angen i bob peth fod yn barod pan
ddaw galwad. Does dim eiliad i'w golli!

lloeren

y polyn

silff offer

ci yr orsaf

arwydd

hofrenydd

gwely bync

60110

2

OTIO

09

drysau mawr

drysau sy'n troi

Tân!

O na! Mae tân yn y goleudy!
Mae'r morwr mewn perygl.
Mae'r morwr yn ofnus.
Mae e wedi ffonio 999.
Dyma'r cwch tân yn dod
i'w achub!

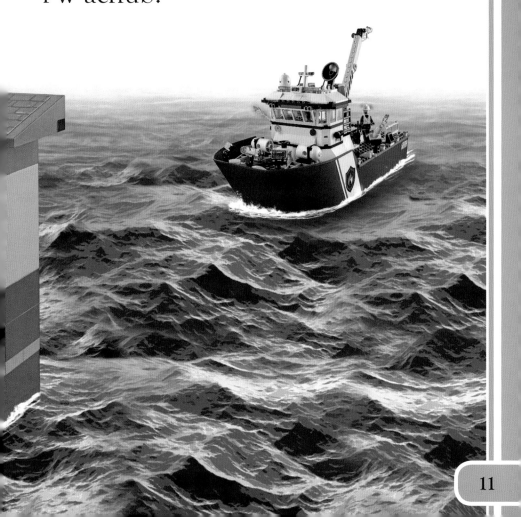

Diffodd y tân

Mae llawer o offer yn y cwch tân.
Wyt ti'n gweld y dŵr yn dod
o'r biben?

Mae'r cwch achub bach
melyn wedi cyrraedd!
Mae'r morwr yn ddiogel!
"Diolch yn fawr iawn, wir!"
meddai'r morwr.

CERBYDAU TÂN

Mae diffoddwyr tân yn helpu mewn pob argyfwng. Mae'r cerbydau yn gallu mynd ar y tir, yn y dŵr ac yn yr awyr!

INJÂN DÂN

AR Y CERBYD: Piben, golau, ysgol.
GWYBODAETH: Mae'r injan yn cyrraedd yn gyflym. Mae'r diffoddwyr yn dringo'r ysgol i ddiffodd y tân ac i achub pobl.

BEIC MODUR

AR Y CERBYD: Golau glas
yn fflachio, injan gryf.
GWYBODAETH: Mae'n cyrraedd
argyfwng mewn amser byr iawn.

HOFRENYDD

AR Y CERBYD: Offer
pwysig, piben.
GWYBODAETH: Mae'r
hofrenydd yn diffodd
tân o'r awyr.

CWCH ACHUB

AR Y CERBYD: Piben ddŵr,
lloeren, cwch achub bach.
GWYBODAETH: Mae'r cwch
yn achub pobl o'r môr, o'r
cwch neu o'r goleudy.

CAR Y SWYDDOG

AR Y CERBYD: Golau, olwynion mawr.
GWYBODAETH: Mae'r swyddog
yn cyrraedd yn gyflym.
Mae'n dweud wrth y diffoddwyr
tân beth i'w wneud.

TRYC OFFER

AR Y CERBYD: Bocs a silff
offer, drws ar yr ochr.
GWYBODAETH: Mae pob
math o offer argyfwng ar
y tryc hwn.

Damwain!

Mae dyn wedi syrthio oddi
ar ei feic modur ar y lôn.
Dyma bobl ar y stryd yn
dod i'w helpu.

Mae'r bobl yn galw am ambiwlans.

Mae'r dyn mewn poen.
Rhaid i'r dyn aros yn llonydd,
rhag ofn ei fod wedi torri asgwrn.

FFONIO'R AMBIWLANS!

Helô?
Mae damwain wedi bod!
Helpwch ni.

Beth sydd wedi digwydd?
Ble ydych chi?

Awyren achub

Mae'r awyren yn hedfan i
gyrraedd rhywun sydd angen help.
Mae gwely arbennig ar yr awyren.
Mae'r person sydd wedi brifo
yn gorwedd ar y gwely.
Wedyn, mae'r awyren achub
yn hedfan i'r ysbyty.

Heddlu

Mae'r heddlu dewr yn cadw dinas LEGO® yn ddiogel. Mae'r heddlu'n gweithio'n galed i helpu pawb.

POLICE LINE – DO NOT CROSS

Ar y lôn, mae'r heddlu'n helpu gyda'r traffig.
Mae'r heddlu'n gyrru ceir a beiciau modur arbennig.
Maen nhw'n gallu teithio'n gyflym iawn.

POLICE LINE – DO NOT CROSS

DINAS LEGO®
PWY YW'R RHAIN?

Weithiau, mae'r heddlu angen help i ddal pobl ddrwg y ddinas. Wyt ti eisiau helpu'r heddlu?

YN EISIAU!

Mae hon wedi dwyn llawer o arian.

TROSEDD: Mae hi wedi dwyn o dri banc!
GWYBODAETH: Mae car mawr ganddi hi.

YN EISIAU!

Mae hwn yn peintio dros waliau'r ddinas.

TROSEDD: Peintio adeiladau'r ddinas heb hawl.
GWYBODAETH: Mae'n gallu dringo'n dda ac mae'n gweithio'n gyflym.

YN EISIAU!

Mae hwn eisiau gwneud difrod.

TROSEDD: Cicio ffensys a thorri ffenestri.

GWYBODAETH: Mae'n gryf iawn, mae'n gallu rhedeg yn gyfym.

YN EISIAU!

Mae'n rhaid cadw draw oddi wrth hon!

TROSEDD: Mae hi'n dwyn arian a ffonau o bocedi a bagiau.

GWYBODAETH: Mae hi'n symud yn gyflym!

YN EISIAU!

Mae hwn yn dwyn aur a gemwaith.

TROSEDD: Mae e wedi dwyn aur o'r amgueddfa.

GWYBODAETH: Mae e'n gallu agor ffenestri.

Carchar

Dyma carchar dinas LEGO®.
Mae'r carchar yn llawn pobl ddrwg.
Ar ôl i'r heddlu ddal pobl ddrwg,
maen nhw'n mynd i'r carchar.
Ond weithiau, mae'r bobl
ddrwg yn trio dianc!

DIOGELWCH

Mae'n anodd dianc o'r carchar yma.

Mae'r carchar yma ar ynys yng nghanol y môr!
Drwy'r dydd a'r nos, mae hofrenydd yr
heddlu yn hedfan dros y carchar.

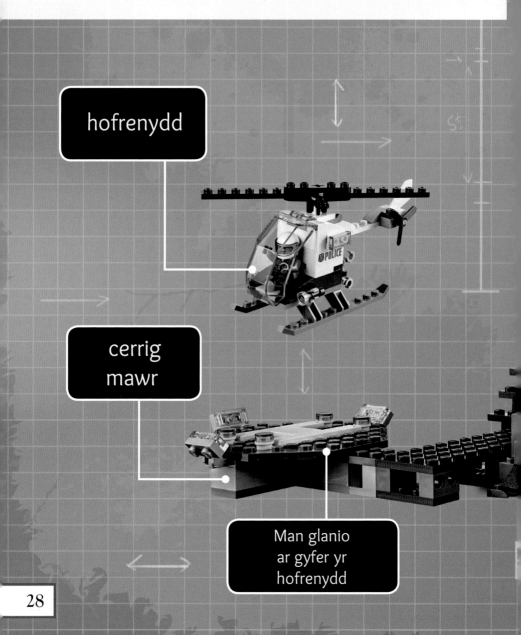

hofrenydd

cerrig
mawr

Man glanio
ar gyfer yr
hofrenydd

lloeren

tŵr gwylio

camerâu diogelwch

Ond mae drws yn y selar ar agor!

Dianc

Rhaid pwyso'r larwm!
Mae'r bobl ddrwg wedi
dianc o'r carchar!
Edrych! Mae dau berson
drwg yn dianc mewn cwch.
Wyt ti'n gweld y balŵn
mawr yn yr awyr?
Mae dau berson drwg
yn dianc yn y balŵn!
Stopiwch!

Cuddio

Dyma ble mae'r bobl ddrwg
yn cuddio!
Mae gan y bobl ddrwg lawer
o offer a llawer o arian.

Dydy'r heddlu ddim yn gwybod
ble maen nhw'n cuddio.
Mae'r bobl ddrwg yn meddwl
eu bod nhw'n ddiogel yma.

Dyma nhw'n ymlacio ac
yn mwynhau.

Chwilio

Mae'r heddlu'n chwilio
am y bobl ddrwg.
Dyma nhw'n rasio drwy'r ddinas.
Dyma nhw'n hedfan yn yr awyr.
Ond ble mae'r bobl ddrwg?

Yn yr awyr, mae'r hofrenydd
yn gallu gweld yn bell.
Mae'n gallu gweld y môr
a'r ddinas.
Mae radio yn yr hofrenydd.
Mae'r peilot yn gallu siarad
â'r heddlu.

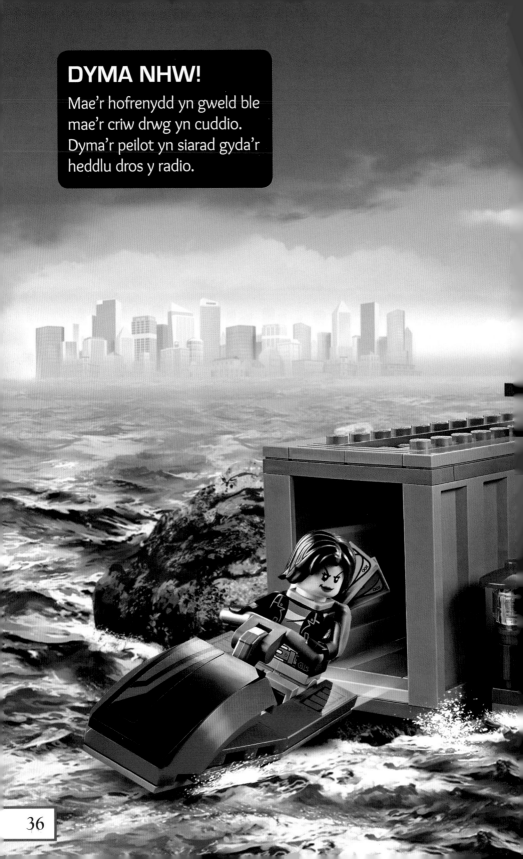

DYMA NHW!

Mae'r hofrenydd yn gweld ble mae'r criw drwg yn cuddio. Dyma'r peilot yn siarad gyda'r heddlu dros y radio.

Wedi'u dal!

Mae'r heddlu'n mynd ar y cwch.

Maen nhw'n teithio'n gyflym
ar y dŵr.

Dros y tonnau, lan a lawr.

Dyma'r heddlu'n dod o hyd
i'r criw drwg, a'u dal.

"'Nôl â chi i'r carchar!"

TÂN AR Y MÔR

Mae'r diffoddwyr tân wedi diffodd tân peryglus yn y goleudy.
Mae'r diffoddwyr tân wedi gweithio'n galed ac wedi achub
y morwr.

DAMWAIN

Dyma criw'r ambiwlans yn helpu dyn sydd wedi cael ei frifo. Mae'r dyn wedi syrthio oddi ar ei feic modur.

Darllena fwy tu mewn

DIANC O'R CARCHAR

Mae'r bobl ddrwg wedi dianc o'r carchar. Ond, mae'r heddlu wedi dod o hyd i'r bobl ddrwg. Mae'r heddlu wedi mynd â nhw yn ôl i'r carchar.

Darllena fwy tu mewn

"Mae'r ddinas yn ddiogel yn ein dwylo ni!"

Swyddog yr Heddlu, dinas LEGO.

Cwis

1. Pwy sy'n pwyso'r larwm yn
    yr orsaf dân?

2. Pa anifail sy'n gweithio
    yn yr orsaf dân?

3. Pa adeilad sydd ar dân ar y môr?

4. Pa liw yw'r golau ar y beic
    modur tân?

5. Pa fath o gerbyd mae'r swyddog tân yn ei yrru?

6. Pwy sy'n cael ei achub gan yr hofrenydd?

7. Ble mae damwain y beic modur?

8. Ble mae'r carchar?

9. Sut mae'r bobl ddrwg yn dianc o'r carchar?

10. Pwy sy'n dod o hyd i'r bobl ddrwg?

Atebion ar dudalen 46.

Geirfa

achub to save
argyfwng emergency
arwydd a sign
arwyr heroes
asgwrn bone
barod/parod ready
carchar prison
casglu to collect
cerbydau vehicles
cerrig stones
cuddio to hide
damwain accident
dewr brave
dianc escape
diffodd extinguish
diffoddwyr tân fire fighters
dinas city
dringo to climb
diogelwch security
diogelu to protect
galw to call
galwad a call
goleudy lighthouse
gorwedd to lie (down)

gwthio to push
gwybodaeth information
hofrenydd helicopter
larwm alarm
lloeren satellite
lôn road
llonydd still
morwr sailor
ochr side
ofnus scared
offer tools
olwynion wheels
perygl danger
piben pipe
poen pain
polyn pole
rhain these
rhywle somewhere
stryd street
swyddog officer
syrthio to fall
tonnau waves
ynys island
ysgol a ladder

Iaith i ddysgwyr / Language for learners

Sometimes in Welsh the first letter of the word changes, usually because of a word which has come before it. This is called a MUTATION (TREIGLAD). Can you spot any mutations in this book? You may have wondered why dinas (city) changed to 'ddinas' on page 6. It did so because of a mutation rule. Don't worry about these, you will learn all about them as you progress with the language. Please just be aware that you might notice some mutations in this book.

You may have noticed in the emergency call on page 18 and 19, the paramedic says, "Rydw i ar y ffordd" (I'm on the way). Often, when people are speaking (in books and in real life!) they will use "Dwi / Dw i" (which has come from "Rydw i"). You might see "Rwy'n" in some books too. So, "Rwy ar y ffordd...", "Rydw i ar y ffordd..." and "Dwi ar y ffordd..." are all the same.

This book is written mainly in the present tense, so everything is happening as you read it. However, you will come across a reference to something that has happened, e.g on page 16: "Mae dyn wedi syrthio oddi ar ei feic". This means that a man has fallen off his bike. If we wanted to say that he is falling now, we would say "Mae dyn yn syrthio oddi ar ei feic". If we wanted to comment that he's going to fall, we would say "Mae dyn yn mynd i syrthio oddi ar ei feic" (A man is going to fall off his bike).

The quiz has a few different types of questions.
Let's go through what they mean:

Sut? How?   **Ble?** Where?   **Pa?** Which?   **Pwy?** Who?

Atebion i'r cwis:	
1. Y swyddog tân	6. Y dyn ar y beic modur
2. Ci	7. Ar y stryd fawr
3. Goleudy	8. Ar y dŵr
4. Glas	9. Mewn cwch ac mewn balŵn
5. Car	10. Yr heddlu

Canllaw i rieni

ER MWYN DARLLEN Y LLYFR HWN,
DYLAI'CH PLENTYN FOD YN GALLU:

- Adnabod llythrennau a chyfuniad o lythrennau a'u sŵn, darllen geiriau anghyfarwydd, geiriau lluosog, ynghyd â berfau syml ac ambell ansoddair e.e. lliw.
- Defnyddio'r stori, lluniau a strwythur y frawddeg er mwyn gwirio a chywiro ei ddarllen ei hun.
- Amrywio amseru'r frawddeg yn ôl yr atalnodi; saib ar ôl coma, saib hirach ar ôl atalnod llawn, newid y llais i gydnabod cwestiwn, ebychnod neu ddyfyniad/deialog.

Mae darllen yn gallu bod yn ymdrech fawr ac yn waith caled i rai plant. Gall cefnogaeth a chymorth oedolyn fod o help mawr. Dyma ambell syniad wrth ddefnyddio'r llyfr hwn gyda'ch plentyn.

1. Darllenwch y clawr cefn, a thrafodwch y dudalen gynnwys gyda'ch gilydd cyn dechrau.

2. Cefnogwch eich plentyn wrth ddarllen drwy adael iddo ddal a throi'r tudalennau ei hunan.

3. Anogwch eich plentyn a gofynnwch gwestiynau am yr hyn mae'n ei ddarllen. Mae'r tudalennau ffeithiol ychydig yn anoddach na gweddill y testun, ac fe'ch cynghorir i rannu'r profiad o ddarllen y rhain gyda'r plentyn.

SYNIADAU PELLACH:

- Ceisiwch ddarllen gyda'ch gilydd bob dydd. Ychydig bach yn aml yw'r ffordd orau. Ar ôl 10 munud, does dim rhaid parhau oni bai bod eich plentyn yn awyddus i wneud hynny.
- Anogwch eich plentyn i drio darllen geiriau anodd ei hunan. Cofiwch ganmol eich plentyn pan mae e'n ei gywiro ei hun.
- Darllenwch lyfrau eraill i'ch plentyn er mwyn cynnal a chadw ei ddiddordeb.

Guide for Parents

For many children, reading requires much effort but adult participation and support can help. Here are a few ideas on how to use this book with your child.

1. Read the back cover, and discuss the contents page with each other before you begin.

2. Support your child in their reading through letting them hold the book and turn the pages him/herself.

3. Encourage your child and ask questions about what they have read. The factual pages tend to be more difficult than the story pages, and are designed to be shared with your child.

A FEW ADDITIONAL TIPS:

- Try and read together every day. Little and often is best. After 10 minutes, only keep going if your child wants to read on.
- Always encourage your child to have a go at reading difficult words by themselves. Praise any self-corrections.
- Read other books of different types to your child for enjoyment and to keep them interested.